Nodyn gan yr awdur

Stori am ysbryd oedd yn byrstio balŵns oedd un o'r straeon cyntaf sgrifennais i. Sgrifennais hi mewn swyddfa ddiflas lle roeddwn i fod yn delegraffydd dan hyfforddiant (gweithio ar y math cynnar o gyfrifiadur, fel petai). Doeddwn i ddim wedi deall bod y peiriant roeddwn i'n ei ddefnyddio yn medru anfon popeth roeddwn i'n sgrifennu i beiriannau pobl eraill. Heb yn wybod i mi, roedd fy stori i yn dod allan yn swyddfa'r pennaeth. Taranodd i mewn i fy swyddfa a gweiddi, "Copïo pethau yw eich gwaith chi, ddim sgrifennu storïau!" Wrth gwrs, collais fy swydd.

Ond doedd dim ots gen i. Roeddwn wedi dysgu teipio, ac roedd hynny'n ddefnyddiol iawn. Collais sawl swydd arall ar ôl hynny hefyd, ac ymhen tipyn rhoddais y gorau i geisio gwneud unrhyw waith heblaw am sgrifennu straeon. Maen nhw'n waith caled, ond dw i byth yn diflasu.

Cynnwys

1 Heb Gartre   1

2 Y Caffi   13

3 Y Bachgen   27

4 Zac   41

5 Y Babi   49

Pennod 1

Heb Gartre

Dywedodd y Cyngor y byddai'n rhaid i ni adael y tŷ. Roedd pobl wedi bod yn cwyno am y sŵn a'r bygis yn yr ardd ac am fan Steff a'r milgwn. Mae Steff yn dweud ei fod o'n mynd i wneud ei ffortiwn yn betio ar y cŵn ryw ddiwrnod, ond dydy hynny ddim wedi digwydd eto.

Dydy'r dynion sydd piau'r milgwn ddim eisiau'r rhai sy'n mynd i golli yn y rasus - dim ond y rhai sy'n ennill. Maen nhw'n cael gwared

ar y gweddill neu yn eu lladd. Dydy Steff byth yn gallu dweud na wrth gi da – dyna pam fod gennyn ni saith ohonyn nhw.

Dydy Steff ddim yn dad i fi. Symudodd Steff i fyw gyda ni ar ôl i Dad symud allan ddeng mlynedd yn ôl, ond mae o a Mam yn hapus iawn. Dydy'r cŵn ddim yn ei phoeni hi. Pan mae gennych chi wyth o blant, mae'n debyg nad ydych chi'n sylwi ar ychydig o filgwn.

Ros ydw i, fi ydy'r hynaf. Wedyn mae Cathryn, sy'n 13. Ar ôl Cathryn, mae Tim a'r efeilliaid, Gwen a Geraint, a'r rhai bach, Tina, Tomos ac Eric. A phan wnaeth y Cyngor ein taflu ni allan o'r tŷ, roedd Mam yn mynd i gael babi arall.

Cynigion nhw rhyw fflat mewn bloc uchel i ni. Aethon ni i weld y fflat a gadael y cŵn adre, ond roedden ni i gyd yn ei gasáu. Dywedodd Steff y byddai ei fan yn cael ei dwyn yno achos ei fod o'n methu cadw llygad arni, ond dim ond esgus oedd hynny. Byddai'n rhaid i chi fod yn wallgo i fod eisiau dwyn fan Steff.

Dywedodd Cathryn, "Fydden ni ddim yn gallu mynd i mewn ac allan o'r fflat, na fydden?"

Roedd hi'n iawn – doedd yna ddim byd y tu allan heblaw awyr las a ffordd bell i lawr i'r ddaear. Ac roedden ni'n hoffi gadael y drysau ar agor fel bod y cŵn a'r plant yn gallu mynd a dod trwy'r amser.

Dywedodd dynes y Cyngor nad oedden ni'n gallu dewis ble roedden ni eisiau byw, ond dywedodd Mam, "Os na allwch chi ddewis does yna ddim pwrpas byw. A nid dyma'r lle i ni."

Felly rhoddodd dynes y Cyngor y top yn ôl ar ei beiro a chau ei llyfr nodiadau. A dyna fo. Roedd yn rhaid i ni adael erbyn diwedd yr wythnos.

Wnaethon ni ddim siarad llawer ar y ffordd adre.

Dywedodd Tim, "Wel, ble rydyn ni'n mynd i *fyw?*"

Wnaeth neb ateb. Roedd Tomos yn beichio crio achos roedd o eisiau reid yn y lifft. Dywedon ni wrtho fo fod y lifft wedi torri ac roedd hynny'n

wir – ond doedd o ddim yn poeni. Roedd Mam yn cerdded yn ei blaen, yn cario Eric. Doedd hi byth yn defnyddio'r bygis roedd pobl yn eu rhoi i ni.

Roedd ein tŷ ni ar y pen mewn stâd o dai cyngor, yn eithaf agos i'r môr. Os oeddech chi'n mynd trwy'r bwlch yn y ffens mi roeddech chi allan ar y twyni, gyda thywod a glaswellt garw ymhob man. Doeddech chi ddim yn gallu gwthio bygi trwyddo fo. Dyna pam roedd y bygis yn pydru yn yr ardd.

"Ble rydyn ni'n mynd i *fyw?*" gofynnodd Tim eto.

Mae Tim yn poeni gormod, yr un fath â Dad.

"Yn yr hen gaffi," meddai Mam.

Rhedon ni i gyd at Mam.

"Be, y lle yna i lawr wrth y gweithfeydd carthion?" meddai Steff.

"Ie," meddai Mam. "Dw i wedi bod yn meddwl am y peth. Mi allwn ni dalu ychydig o rent os oes rhywun yn gofyn. Does dim rheswm mewn cael lle mor fawr â hynna yn sefyll yn wag."

"Ond mae'r lle'n cwympo'n ddarnau," meddai Tim. "Mae yna bren wedi'i hoelio ar y ffenestri i gyd."

Gwenodd Steff. Mae o wedi colli un o'i ddannedd blaen, sy'n gwneud iddo fo edrych fel dyn caled ofnadwy. Dw i'n meddwl ei fod o'n hoffi hynny. "Gallwn ni symud ychydig o'r pren yn ddigon hawdd," meddai. "Yn gallwn, Ros?"

"Gallwn," meddwn i. "Ar ôl gwaith fory, iawn?"

Dw i'n un deg pump oed ac yn dal i fod yn yr ysgol, o ryw fath, ond mae gen i job yn y lle Teiars a Batris.

Llamodd y cŵn allan pan agoron ni ddrws y

tŷ. Fy ffefryn i ydy Hocwm. Mae o'n ddu gyda phawennau gwyn ac mae o'n cysgu ar fy ngwely i.

"Rydyn ni'n mynd i gael cartref newydd," meddai Cathryn wrth y cŵn. "Mi fyddwch chi wrth eich boddau gyda'r lle."

"Mi fyddwn ni wrth ein boddau gyda'r lle hefyd," meddai Gwen.

Roedden ni i gyd yn llawn cyffro wedyn am ryw reswm. Roedd blwyddyn neu ddwy wedi mynd ers i ni symud ddiwetha ac roedden ni wedi dechrau diflasu. Coginiodd Mam lond gwlad o selsig a thatws wedi'u stwmpio a phot mawr o ffa pob. Wedyn daeth ei brodyr hi, Sbeic a Dan, o rywle. Roedden nhw wedi dod o hyd i ddrws newydd i fan Steff achos roedd y llall wedi cael ei falu.

Pan glywon nhw am y caffi aethon nhw allan i brynu ychydig o gwrw a *Coke*, a chreision i'r

plant, a chawson ni barti bach. Roedd y
chwaraewr CD ymlaen ac roedd pawb yn
dawnsio. Roedd y cymdogion yn curo ar y waliau,
fel roedden nhw wastad yn gwneud.

"Gadewch iddyn nhw guro ar y waliau,"
meddai Mam. Roedd hi'n dawnsio hefyd, er ei bod
hi'n anferth gyda'r babi ar ei ffordd. "Mi fyddwn
ni wedi gadael y lle yma cyn pen dim."

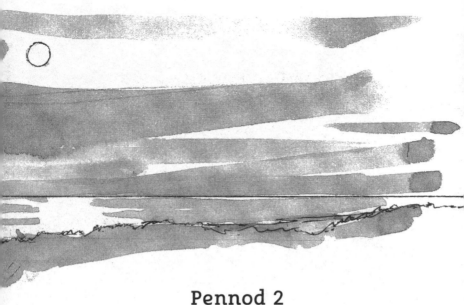

Pennod 2

Y Caffi

Y noson wedyn, parciodd Steff y fan ar y tarmac oedd wedi'i orchuddio â chwyn ac aethon ni allan i edrych ar y caffi. Roedd y lleuad yn llawn ac roedden ni'n gallu gweld y gwair hir yn tyfu dros stepiau pren y caffi. Roedd y caffi tua'r un maint â neuadd bentre, ond ei fod wedi'i adeiladu allan ar y môr fel pier.

"Os oes tyllau yn y llawr, mi fyddwn ni'n cwympo trwyddyn nhw ac yn gwlychu," meddwn i.

Roedd Steff yn tynnu tŵls allan o'r fan. "Does yna ddim ond un ffordd o wybod," meddai. "Cer i mewn i'r caffi i edrych. Cymera hwn."

Rhoddodd Steff forthwyl a dau lifer tynnu teiars i mi. Yna, aeth i gefn ei fan ac estyn tortsh a bar hir gyda blaen fel fforch arno.

Yn agos, roedd y lle'n edrych yn llanast. Roedd y paent yn dod i ffwrdd oddi ar y pren ac roedd sbwriel lan y môr ym mhob man – caniau a darnau o blastig a gwydr wedi torri. Roedd yna boster wedi rhwygo ar y wal.

"Oedd yr adeilad yma'n arfer bod yn neuadd ddawns felly?" gofynnais. Roeddwn i'n gwthio lifer tynnu teiars tu ôl i ddarn o bren.

"*Caffi Dyfnant* oedden nhw'n ei alw fo," meddai Steff. "Roedd llawr i ddawnsio yn y canol, a byrddau a chadeiriau rownd yr ochrau. Roedd fy Nain i'n arfer dod yma. Roedd hi'n meddwl bod y lle'n wych." Gwthiodd ddarn o bren o'r ffordd gyda'r bar.

15

Ar ôl i ni glirio'r ffordd at y drws, gwthiodd Steff yn ei erbyn gyda'i ysgwydd. Wnaeth y drws ddim symud.

"Mae o wedi'i gau gyda bollt o'r tu mewn," meddai Steff. Malodd weddill y gwydr oedd wedi torri yn y ffenest wrth ymyl y drws a dringodd i mewn.

Rhoddais i'r morthwyl i Steff a gwrando arno'n taro'r bolltiau. Yna, agorodd y drws a sefyll yno'n gwenu, a'r bwlch rhwng ei ddannedd blaen yn amlwg.

"Tyrd i mewn," meddai. "Croeso i'n cartre newydd ni."

Y tu mewn, roedd hi'n dywyll fel bol buwch. Roedd arogl rhyfedd yn y lle. Arogl tamp ac arogl rhywbeth wedi pydru, ac roedd y lle'n drewi o hen faw gwylanod, ond gydag ychydig o arogl persawr hefyd. Fel un o'r siopau mawr hynny sy'n gwerthu lipstic a phethau, ond ei fod o'n

arogl gwan iawn ac yn arogl wedi mynd yn hen.

Fflachiodd Steff olau'r dortsh o gwmpas yr adeilad. Roedd y lle'n edrych fel mynedfa sinema, gyda thoiledau ar bob ochr a swyddfa docynnau. O'n blaenau ni roedd rhes o ddrysau gwydr.

Gwthion ni drwy'r drysau a cherdded i mewn i stafell oedd yn edrych fel neuadd ddawns. Taflodd y dortsh olau ar ymyl galeri oedd yn mynd o gwmpas tair ochr i'r neuadd. Yna symudodd Steff olau'r dortsh ar hyd y llwyfan. Roedd llygedyn o haul igam-ogam wedi'i baentio ar wal gefn y llwyfan, yn binc ac aur a du.

"Bydd Gwen wrth ei bodd gyda'r llwyfan," meddwn i. Roedd Gwen yn siwr ei bod hi'n mynd i fod yn seren bop, felly byddai hi'n gwneud unrhyw beth i gael mynd ar unrhyw lwyfan.

Roedd Steff yn cerdded tuag at ddrws yn y gornel. Dechreuais i ei ddilyn, ond sylwais fod y llawr yn damp a charegog o dan fy nhraed.

Edrychais i fyny i weld o ble roedd y gwlybaniaeth wedi dod a gweld twll anferth yn y to. Roedd y trawstiau yn dal i fod yno.

Roedd y trawstiau yn croesi yn y canol, ac roedd pêl-ddrych yn hongian yno – un o'r pethau hynny sy'n taflu fflachiadau o olau ar y waliau a'r nenfwd. Roedd o'n edrych yn rhyfedd, fel petasai gan y caffi ei leuad ei hun, yn ogystal â'r un i fyny yn yr awyr.

Eiliad yn ddiweddarach, bu bron i mi farw o ofn.

Roedd rhywun yn sefyll yn agos y tu ôl i mi. Mor agos, roeddwn i'n meddwl ei fod o'n mynd i roi ei fysedd ar fy ngwar. Edrychais yn ôl yn sydyn – ond doedd neb yno. Roedd un o'r drysau gwydr yn cau'n dawel, ar ben ei hunan bach. Es i i chwilio am Steff, yn sydyn.

Roedd o yn y gegin yng nghefn yr adeilad, y tu ôl i'r llwyfan. "Edrycha ar hyn!" meddai. "Sinc, bwrdd sychu llestri, popeth. Ac mae'r tapiau'n gweithio."

"Steff," meddwn i. "Mae 'na rywun yma."

"O, na," meddai Steff. "Ble?"

"Dw i'n meddwl ei fod o wedi mynd trwy'r drysau gwydr. Mi aeth 'na rywun trwy'r drysau."

"Mi a' i i edrych," meddai Steff.

Dilynais Steff yn ôl ar draws y llawr gwag. Roedd y drysau gwydr yn anodd i'w gwthio ar agor. Fflachiodd Steff ei dortsh i bob cyfeiriad, yna edrychodd yn y toiledau a oedd wedi'u labelu gyda LADIES' POWDER ROOM a GENTLEMEN. Fyddwn i ddim wedi gallu gwneud hynny. Beth os oedd rhywun i mewn yno, yn aros i neidio allan?

"Dim enaid byw," meddai Steff. "Roeddet ti'n dychmygu pethau."

"Gwelais i'r drws yn symud," meddwn i. "Dw i'n gwybod ei fod o wedi symud." Roeddwn i'n dal i deimlo bod rhywun yn fy ngwylio i.

"Tyrd yn dy flaen, Ros," meddai Steff. "Paid â bod yn wirion. Rydyn ni newydd dorri i mewn i'r lle, yn dydyn? Mae'r lle wedi bod yn wag ers blynyddoedd. Does dim posib fod 'na neb yma."

Wnes i ddim dweud dim mwy. Ond roeddwn i'n gwybod bod rhywun yno.

Aethon ni yn ôl i'r gegin a gwthiodd Steff y drws cefn ar agor. Y tu allan, roedd balconi cul fel bwrdd llong, gyda rheiliau o'i amgylch. Roedd y lleuad yn taflu llwybr o olau ar y môr.

"Bendigedig, yn dydy," meddai Steff. "Chwarae teg i Sandra. Sôn am syniad da, dod i'r caffi yma."

Mam oedd Sandra. Roeddwn i'n meddwl amdani hi tra roedd Steff yn gwthio'r rheiliau, yn gwneud yn siŵr eu bod yn saff. Roedd hi mor gryf a thenau, ar wahân i'r chwydd roedd y babi yn ei wneud, ac roedd ei gwallt yn dywyll a chyrliog. Roedd hi'n anodd coelio ei bod hi'n bedwar deg dau oed.

Hoelion ni ychydig o'r darnau pren yn ôl ar draws y drws rhag ofn i dresmaswyr ddod yno, yna fe daflon ni'r tŵls i mewn i'r fan.

"Mi symudwn ni i mewn fory," meddai Steff wrth iddo danio'r injan. "Mi ddaw Sbeic a Dan i'n helpu ni, fyddwn ni fawr o dro."

Edrychais yn ôl unwaith eto. Roedd blaen y caffi yng nghysgod y lleuad oedd uwch ei ben, ond roedd rhywun yn sefyll yno. Bachgen oedd ddim llawer yn hŷn na fi, 16 oed, efallai, yn gwisgo crys-T gwyn.

Yn ein gwylio.

Pennod 3

Y Bachgen

Arhosais gartref o'r gwaith y diwrnod wedyn i helpu gyda'r symud. Doedden nhw byth yn poeni pan oeddwn i'n peidio mynd i'r gwaith, roedden nhw'n meddwl fy mod i wedi penderfynu mynd i'r ysgol am ddiwrnod.

Roedd y caffi'n edrych yn waeth yng ngolau dydd. Roedd darnau o lwydni du ar y waliau a darnau o blastar a phren wedi pydru ar hyd y

llawr. Roedd golau'r haul yn disgleirio trwy'r twll yn y to rŵan, ond roedd y lle'n dal i fod yn dywyll o dan y galeri. Roedd hi'n dywyll fel bol buwch yn y toiledau a'r stafelloedd newid gan nad oedd ffenestri yno. Roedd y trydan i ffwrdd.

Doedd y plant ddim yn poeni. Roedden nhw'n meddwl bod y lle'n wych. Roedden nhw'n rhuthro i mewn ac allan ac i fyny ac i lawr y grisiau. Dechreuodd Tim gasglu darnau o bren a phlastar oddi ar y llawr a'u taflu nhw i'r môr. Roedd Mam yn brwsio ac yn glanhau. Roedd Gwen ar y llwyfan, yn dawnsio tap. Wel, dyna beth oedd hi'n ei alw fo beth bynnag.

Gadawon ni'r milgwn wedi'u cloi i mewn yn yr hen dŷ tra roedden ni'n symud pethau, achos bydden nhw wedi bod o dan draed. Pan ddaeth Dan a Steff gyda'r llwyth olaf o bethau yn y fan, dywedon nhw eu bod wedi gadael Cathryn yn yr hen dŷ er mwyn iddi hi gerdded yn ôl i'r caffi gyda'r cŵn. Felly dywedais i y byddwn i'n mynd i'w chyfarfod.

Dechreuais gerdded i lawr y grisiau pren – ac roedd y bachgen welais i neithiwr yno eto.

Gwelais i gip arno o gornel fy llygad. Crys gwyn, gwallt coch. Yna roedd o wedi mynd. Edrychais yn ôl wrth gerdded ar hyd y twyni, ond doedd dim golwg ohono.

Pan ddaeth Cathryn tuag ata i gyda'r saith ci yn rhedeg ac yn neidio o'i chwmpas, roedd o'n deimlad rhyfedd. Roeddwn i fel petawn i'n ddieithryn, yn eu gweld nhw am y tro cyntaf erioed. Tybed ai dyna sut roedd y bachgen â'r gwallt coch yn ein gweld ni?

Roedd o yno eto pan ddaethon ni yn ôl. Roeddwn i'n gweld rhyw gip ar wallt coch a chrys-T gwyn o hyd, ond pan oeddwn i'n ceisio edrych arno fo'n iawn, roedd o'n diflannu.

Doeddwn i ddim yn gweld un o'n teulu ni, roeddwn i'n siŵr, achos does yna ddim gwallt coch yn y teulu. Mae gan Cathryn a fi wallt lliw

llygoden fel Dad, a Tim hefyd, ond bod ganddo fo
wallt tonnog. Roedd gan y rhai bach i gyd wallt
tywyll, cyrliog, fel Mam a Steff.

Cawson ni barti gwell byth y noson honno.
Daeth chwiorydd Mam i'r parti, a'i brawd Liam, a
Sbeic a Dan. Daethon nhw â'u gwragedd a'u gwŷr
a'u plant a'u ffrindiau gyda nhw. Daeth ffrindiau
Steff o'r lle traciau cŵn hefyd, a sawl crât o gwrw
gyda nhw.

Doedden ni ddim yn gallu defnyddio'r
chwaraewr CD achos doedd dim trydan, ond
doedd hynny ddim yn broblem. Chwaraeodd Steff
ei fanjo a daeth Sbeic â'i acordion, ac roedd un
o'r dynion cŵn yn wych ar y ffidil. Roedd gennyn
ni lampau a chanhwyllau a'r stôf nwy, felly roedd
popeth yn iawn. A wnaeth neb guro ar y waliau.

Aeth y rhai bach i gysgu fel cŵn bach ar ba
bynnag wely neu fatras roedden nhw wedi'i
ddewis, ond cariodd y gweddill ohonon ni ymlaen

gyda'r parti tan i olau dydd ddechrau dangos trwy'r twll yn y to.

Roeddwn i'n gwybod lle roeddwn i eisiau cysgu. Roeddwn i wedi gosod gwely cynfas ar lawr y balconi y tu ôl i'r gegin. Roeddwn i wedi blino gormod i dynnu fy nillad, felly gorweddais i lawr gyda blanced drosta i. Daeth Hocwm hefyd a chyrlio'i hun wrth fy ymyl. Roeddwn i'n meddwl y byddwn i wedi cysgu'n syth ond wnes i ddim. Gorweddais yno'n edrych ar yr awyr yn goleuo dros y môr a chlywed yr adar yn dechrau canu.

Roeddwn i'n dechrau cynhesu o dan y flanced. Caeodd fy llygaid. Yna dywedodd rhywun, *"Beth ydych chi'n ei wneud yma?"*

Ebychais. Deffrais ar unwaith, gan eistedd i fyny. Ac yno roedd y bachgen, yn pwyso ar y rheilen, yn edrych i lawr ar y dŵr. Roedd haul y bore yn gwneud i'w wallt coch edrych fel cylch o dân.

Yr eiliad honno, roedd arna i ofn am fy mywyd y byddai'r bachgen yn cwympo. Dw i ddim yn siŵr pam. Roeddwn i'n gwybod bod y rheilen yn saff a doedd dim ofn arna i pan ddringodd y plant arno, ond roedd hyn yn wahanol.

Dywedais yn uchel, "Bydd yn ofalus."

Ciledrychodd Hocwm arna i, yn methu'n lân â deall gyda phwy roeddwn i'n siarad. Roeddwn i'n gwybod nad oedd o'n gallu gweld y bachgen neu byddai wedi cyfarth.

Trodd y bachgen ei ben ac edrych arna i. *"Rhy hwyr,"* meddai.

Roedd ei lais yn fy mhen i, fel breuddwyd.

Gofynnais, "Beth wyt ti'n feddwl?" ac roedd fy llais i'w glywed yn wirion o swnllyd.

Wnaeth o ddim ateb. Caeais fy llygaid am

ychydig yn erbyn disgleirdeb yr haul a phan edrychais i eto, doedd o ddim yno.

****

Pan ddeffrais i, roedd hi'n ganol dydd. Roedd y drws i'r gegin ar agor. Edrychodd Hocwm drwyddo ac yna daeth ata i, gan ysgwyd ei gynffon.

Rhoddais fwythau iddo a dweud, "Wyt ti wedi bod allan wyt ti?"

Clywodd Cathryn fi. Daeth hi allan a phwyso yn erbyn y rheilen lle roedd y bachgen wedi bod. "Mae hi'n hyfryd yma, yn dydy," meddai hi. Roeddwn i'n meddwl gormod am y bachgen i allu ei hateb, felly dywedodd hi eto, "Yn dydy?" Yna edrychodd hi arna i a gofyn, "Be' sy'n bod?"

"Wnei di ddim coelio hyn," meddwn i. "Mae'n mynd i swnio'n wallgo." Ac fe ddywedais wrthi hi am y bachgen.

"Mae'n rhaid mai ysbryd ydy o," meddai hi.

Gwgais. Roeddwn i wastad wedi meddwl mai pethau llwyd, disylwedd yn hofran o gwmpas cestyll oedd ysbrydion.

"Mi a i i wneud ychydig o goffi," meddai Cathryn.

A'm gadael i yn meddwl am y bachgen gwallt coch.

Pennod 4

Zac

Y noson honno roedden ni i gyd wedi blino'n lân ar ôl dwy noson o bartïa a'r symud tŷ, ac aeth Mam i'r gwely yn y bar i fyny'r grisiau yn eithaf cynnar. Dywedodd y byddai hi'n gandryll pe bai rhywun yn tarfu arni hi.

Roedd Steff wedi mynd i ras gŵn. Roedden ni i gyd yn gobeithio y byddai'n lwcus, gan nad oedd gennyn ni ddim byd ar ôl a'n bod ni angen mynd i'r archfarchnad i siopa.

Aeth Cathryn a fi i dawelu'r rhai bach i gyd. Doedden nhw ddim yn gwneud llawer o sŵn, ond roedden nhw'n piffian chwerthin achos bod ganddyn nhw gymaint o lefydd cysgu i ddewis ohonyn nhw.

Dywedodd Cathryn, "Os ydy dy ysbryd di'n dod, galwa arna i. Dw i eisiau gweld y peth."

"Nid 'peth' ydy o," meddwn i, " 'Fo' ydy o. Achos mae o'n real, o ryw fath."

"Real ond wedi marw," meddai Cathryn.

Mae'n debyg ei bod hi'n iawn. Roeddwn i wedi bwriadu aros yn effro, ond unwaith i mi orwedd ar y gwely cynfas a chyrlio gyda Hocwm, syrthiais i gysgu.

"*Rydych chi'n dal i fod yma felly,*" meddai.

Roeddwn i'n meddwl fy mod i'n breuddwydio. Clywais fy hun yn dweud, "Ydyn, yn dal i fod yma."

Wnaeth y bachgen ddim ateb. Agorais fy llygaid a'i weld o yng ngolau'r lleuad, yn eistedd fel aderyn mawr ar y rheilen. Unwaith eto, roedd arna i ofn am fy mywyd y byddai o'n cwympo.

Dywedodd, "*Does dim rhaid i ti boeni. All y peth ddim digwydd eto.*"

Meddyliais, beth all ddim digwydd eto?, ond wedyn roeddwn i'n gwybod. Mewn gwahanol fath o freuddwyd, gwelais i'r bachgen o dan y dŵr, yn

symud yn araf gyda'r llanw. Roedd ei lygaid ar agor a'i wallt coch yn llifo o gwmpas ei ben fel gwymon tenau. Roedd dynion yn dod mewn cwch rhwyfo, ac roedd tyrfa fach o bobl yn sefyll ar y traeth, rhai ohonyn nhw'n beichio crio.

Am foment, roeddwn i mewn cymaint o sioc fel na allwn i anadlu'n iawn, fel tasai'r môr wedi arllwys i mewn i'm hysgyfaint i yn ogystal â'i un o. Roedd y bachgen mor real. Roeddwn i'n casáu meddwl amdano i lawr yno yn y môr, wedi boddi.

Roeddwn i eisiau iddo fo fod yn fyw.

Roedd o'n fy ngwylio i. Roedd ei ddwylo wedi'u plethu'n llac rhwng ei bengliniau. Roedd hen dreinyrs am ei draed, oedd yn pwyso yn erbyn y rheilen. *"Mae'n ddrwg gen i,"* meddai.

"Ond sut ddigwyddodd hyn?" gofynnais yn wyllt. *"Pam wnest di gwympo?"* Roeddwn i'n gwybod rŵan nad oedd yn rhaid i mi siarad yn uchel.

Cododd un o'i ysgwyddau. Yna dywedodd, *"Mi wnes i'r dewis anghywir. Gwirion."*

Doeddwn i ddim yn deall. Meddyliais am beth ddywedodd Mam wrth ddynes y Cyngor, 'Pan na allwch chi ddewis does yna ddim pwrpas byw.'

Dyna pryd y sylweddolais i. Roedd y bachgen wedi dewis marw.

****

Trefnodd Cathryn fod y plant a hi ei hun yn barod ar gyfer yr ysgol y diwrnod wedyn. Roedd hi'n awyddus i fynd i'r ysgol, dywedodd ei bod hi angen pasio ei harholiadau.

Es i i'r gwaith – roedd hi'n ddiwrnod talu cyflog. Doeddwn i ddim wedi gwneud llawer o bres achos fy mod i wedi methu dau ddiwrnod, ond roedd o'n well na dim.

Doedd Steff ddim yn lwcus, a daeth o adre heb geiniog yn ei boced. Gwelodd o ryw ddyn oedd eisiau symud cwt ieir, felly cafodd o ychydig o bunnoedd am wneud hynny.

Pan ddaethon ni adre, fe aeth Cathryn a fi i siopa am ychydig o fwyd. Dim ond newydd gamu allan o'r caffi oedden ni pan ddywedodd hi, "Dw i wedi darganfod pwy ydy dy ysbryd di."

"Wyt ti?" Roeddwn i'n ceisio swnio'n ddi-hid, ond roeddwn i bron â marw eisiau gwybod.

"Ei enw fo ydy Zac." Roedd Cathryn yn llawn cyffro. "Zacary Morris. Ei rieni fo oedd piau'r caffi, flynyddoedd yn ôl. Roedden nhw wedi bod yn ddawnswyr proffesiynol ar y teledu, wedi ennill medalau a phethau. Ted a Babsi Morris oedd eu henwau nhw. Roedd y merched yn yr ysgol yn siarad am y peth."

"Felly be' ddigwyddodd?" gofynnais.

"Wel, mae'r hanes braidd yn drist," meddai Cathryn. "Cafodd o ei foddi. Roedd pobol yn dweud mai hunanladdiad oedd o. Dydw i ddim yn

gwybod pam – doeddwn i ddim yn gallu holi gormod. Yr unig reswm wnaethon nhw ddechrau siarad am y peth oedd achos eu bod nhw wedi clywed amdanon ni yn symud i fyw i'r caffi."

Nodiais fy mhen. Roedden ni'n cael amser caled yn yr ysgol oherwydd y ffordd roedden ni'n byw. Roedd y plant eraill yn ein galw ni'n sipsiwn ac yn fegerwyr. Dw i ddim yn gwybod sut mae Cathryn yn gallu diodde'r peth.

Dywedais i, "Oedd ganddo fo frodyr a chwiorydd?"

"Dw i ddim yn meddwl," meddai Cathryn, "wnaeth neb sôn dim. Mi ddywedon nhw ei fod o ychydig yn rhyfedd. Ar ei ben ei hun yn aml."

Roeddwn i eisiau i'r bachgen o'r enw Zac fod gyda ni er mwyn i mi allu ei holi, ond roedd gen i deimlad na allai o adael y caffi. Roedd hi'n ymddangos ei fod o wedi'i gaethiwo i'r lle, a'i fod o'n aros am ail gyfle fyddai byth yn dod.

Pennod 5

Y Babi

Pan ddaeth Cathryn a fi yn ôl ar ôl bod yn siopa bwyd, roedd Steff yn chwarae pêl-droed gyda'r plant ar y twyni.

Es i i chwilio am Mam. Roedd hi'n gorwedd yn y gwely mawr yn y bar i fyny'r grisiau. Roedd golau oddi ar y môr y tu allan yn crychu ar y nenfwd.

"Wyt ti'n iawn?" meddwn i.

"Wedi blino'n lân," meddai hi, heb symud.

Doedd hyn ddim fel Mam. Roeddwn i'n meddwl tybed a oedd y babi wedi dechrau dod.

"Wyt ti eisiau i fi fynd i ffonio?" gofynnais. Roedd ciosg ffôn ar y briffordd, tua hanner milltir i ffwrdd.

Gwenodd Mam. "Mae'n iawn, cariad," meddai hi. "Dydy'r babi ddim i fod i ddod am bythefnos arall. Eisiau gorffwys ydw i."

Gofynnais iddi a fyddai hi'n hoffi paned o de ac fe ddywedodd y byddai hi.

Fe goginiodd Cathryn a fi sbageti i bawb, yna fe aeth Steff allan eto gyda'i arian cwt ieir.

"Dw i'n mynd i fod yn lwcus y tro yma – coeliwch chi fi," meddai.

Golchon ni'r llestri, yna eisteddodd Cathryn i wneud ei gwaith cartref. Es i allan ar y balconi.

Roedd yr haul yn machlud yn isel ar fin y môr, yn tywynnu'n goch.

"Zac," meddwn i, *"Pam wnes di be' wnes di?"*

Ond doedd o ddim yno. Eisteddais ar fy ngwely cynfas a phwyso fy mhen yn ôl yn erbyn y wal. Caeais fy llygaid a meddwl am Zac a'i rieni.

Ted a Babsi Morris. Roeddwn i'n gallu eu gweld, yn y caffi gwag yn ymarfer rhyw ddawns i gerddoriaeth oddi ar hen record blastig. Byddai ganddi hi wallt wedi'i byrmio'n dynn, breichiau tewion, traed bach mewn sodlau uchel yn mynd yn gyflym-gyflym rhwng ei esgidiau du sgleiniog o. A ble roedd Zac?

"Roedd fy nhad yn arfer llosgi sbwriel ar y traeth," meddai Zac. *"Doedd o ddim yn fodlon*

talu i'r Cyngor fynd â'r sbwriel oddi yma. A doedden nhw ddim yn fodlon mynd â fo am ddim achos bod y caffi'n fusnes, ddim yn dŷ preifat. Roedd darnau o bethau du yn hedfan yn yr awyr, ac roedd yr arogl yn ddigon i wneud rhywun yn sâl. Roeddwn i newydd adael yr ysgol ac roedd o eisiau i mi edrych ar ôl y caffi. Dywedodd fod arna i hynny iddo fo am fy magu i. Ysgrifennodd o'r cwbwl ar bapur, faint oeddwn i wedi'i gostio iddo fo, a'i roi o i mi. Fel bil."

Doeddwn i ddim yn gallu coelio'r peth. Dywedais, "Mae'n rhaid ei fod o'n wallgo."

"Doedd o ddim eisiau plant," meddai Zac. "Mi ddywedodd o wrtha i. Dywedodd y byddai o wedi gallu bod yn enwog." Ar ôl saib, ychwanegodd, "Roedd popeth yn brifo. Popeth roeddwn i'n ei weld a'i glywed, hyd yn oed fy meddyliau i fy hun. Pan oeddwn i'n deffro yn y bore, doeddwn i ddim eisiau gwybod."

Roedd hi'n anodd dychmygu. Rydw i'n teimlo'n isel weithiau, dw i'n gwybod, ond mae yna wastad rywbeth mae rhywun yn gallu'i fwynhau neu chwerthin amdano.

"Rydych chi'n hoffi'ch gilydd, yn dydych chi?" meddai Zac. "Mi fuaswn i'n hoffi petawn i'n perthyn i chi."

"Mi fuaswn i'n hoffi hynny hefyd," meddwn i. "Mi fuaswn i'n hoffi pe taset ti'n frawd i mi." Ac roeddwn i'n meddwl pob gair.

"Roedd y môr yn iawn," meddai Zac. "Yr awyr a'r môr. Roeddwn i'n meddwl y byddwn i'n rhan o hynny i gyd. Ond dydw i ddim."

Roeddwn i eisiau rhoi fy llaw ar ei ysgwydd neu rywbeth – ond doeddwn i byth yn mynd i allu ei gyffwrdd. "All pethau ddim cario 'mlaen fel hyn," meddwn i. "Mae'n rhaid i rywbeth ddigwydd."

Ac ar y foment honno, clywais i Mam yn galw o'r stafell uwch fy mhen. "Ros," meddai hi, "wyt ti yna?"

Roedd rhywbeth yn ei llais a wnaeth i mi neidio ar fy nhraed ar unwaith.

****

Ychydig o funudau yn ddiweddarach, roeddwn i'n beicio i lawr tuag at y ciosg ffôn, â Hocwm yn llamu wrth fy ymyl. Ffoniais i'r fydwraig, Mrs Lewis. Dywedodd hi ei bod hi'n cychwyn ar unwaith. Roedd Mam yn casáu ysbytai, fyddai hi byth yn mynd i mewn i un. Roedd hi wastad yn cael ei babis gartre.

Pan gyrhaeddodd Mrs Lewis, es i â hi i fyny'r grisiau.

Roedd Mam yn edrych fel petai hi'n hanner ymddiheuro. "Dydw i erioed wedi bod yn gynnar yn cael babi o'r blaen," meddai hi.

"Dydych chi erioed wedi bod yn bedwar deg dau oed o'r blaen," meddai Mrs Lewis. "Ond peidiwch chi â phoeni, fy nghariad i, mi fyddwch chi'n iawn. Rŵan, gadewch i ni gael golwg."

A gyrrodd hi Cathryn a fi i fynd i roi'r tegell ymlaen.

Roedden ni wedi arfer gyda babis yn cael eu geni erbyn hyn. Byddai'r aros, wedyn bydden ni'n clywed y waedd boerllyd gyntaf honno a bydden ni'n gwybod bod y babi wedi cyrraedd. Es i allan ar y balconi i ddweud wrth Zac pam roeddwn i wedi gorfod mynd yn sydyn. Roeddwn i'n gobeithio na fyddai o'n malio.

Doedd o ddim yno. Doeddwn i ddim yn clywed ei lais yn fy mhen a doedd dim i'w weld heblaw'r dŵr a'r golau gwan yn yr awyr. Roedd popeth i'w weld yn wag iawn.

Roedd yr aros yn llawer hirach na'r arfer heddiw. Roeddwn i'n gweld golau cannwyll yn crynu trwy ffenest stafell Mam i fyny'r grisiau. Taniais i'r lamp nwy a'i chario hi i fyny.

Roedd Mrs Lewis yn eistedd wrth y gwely a'i dwylo yn gweithio ar rywbeth oedd yn edrych fel lwmp o does. Roedd hi'n chwythu i mewn iddo trwy diwbyn rwber ac fe welais, gyda syndod, mai'r babi oedd o. Roedd o'n lliw llwydaidd ac yn gorwedd yn llonydd ofnadwy. Roedd Mam yn syllu arno a'i llygaid yn edrych yn enfawr a thywyll. Roedd ei gwallt yn damp, fel petasai hi wedi bod yn chwysu.

Edrychodd Mrs Lewis ar Mam. "Mae'n ddrwg gen i, cariad," meddai. "Mae arna' i ofn nad ydy'r bachgen bach yma wedi'i gwneud hi."

Trodd Mam ei hwyneb i ffwrdd a dechrau crio.

Sylwais fod fy nwylo yn ddyrnau tynn. *"Plîs,"* meddwn i'n dawel. *"O, plîs."* Doeddwn i ddim yn gwybod i bwy roeddwn i'n gofyn, na pham, ond roeddwn i gymaint o eisiau i'r traed pitw llwydlas oedd yn hongian dros ffedog y fydwraig i fod yn binc ac yn fyw. *"O, plîs."*

Hyd yn oed rŵan, mae ias yn mynd i lawr fy nghefn wrth gofio hyn. Gwelais i frest y babi yn symud. Wnaeth o ddim symud llawer, dim mwy na chrynu, ond gwelodd Mrs Lewis y peth yn digwydd hefyd, a dywedodd, "Tyrd yn dy flaen, cariad. Tyrd yn dy flaen."

Y funud nesaf, rhoddodd o besychiad fach boerllyd a dechrau crio.

Ebychodd Mam trwy ei dagrau a gwthio ei hun i fyny oddi ar y gobennydd – a daeth Cathryn i mewn yn llawen.

"O, da iawn," meddai hi. "Bachgen neu ferch ydy o?"

"Bachgen bach hardd," meddai Mrs Lewis, a oedd yn dal i fod yn brysur gyda'r babi. "A dw i'n meddwl ein bod ni angen paned o de – bob un ohonon ni."

****

Yn hwyrach, ar ôl i Cathryn fynd i'r gwely, es i i weld Mam. Roedd y fydwraig wedi mynd, ac roedd Mam yn gorwedd gyda'r babi yn ei breichiau. Dechreuodd fy nghalon guro fel gordd. Roedd gan y bachgen wallt coch. Dim llawer ohono, dim ond ychydig o wallt tenau, llyfn – ond gwallt coprog, coch llachar. Ac roedd presenoldeb cyfarwydd yn gryf yn y stafell.

"Mae o'n anhygoel yn dydy?" meddai Mam. "O ble ar y ddaear ddaeth y lliw bendigedig yma? Bydd yn rhaid i ni feddwl am enw hyfryd iddo fo."

"Ond Zac ydy o," meddwn i, heb sylwi fy mod i wedi siarad yn uchel. Roedd Zac yn fyw ac yn real, yr un person â'r un roeddwn i'n ei nabod, ond wedi newid, ac wedi cael cychwyn newydd. Ail gyfle.

"Zac," meddai Mam. "Zacary. Ie, dyna enw tlws."

Rhedodd Steff i fyny'r grisiau. Plygodd i lawr wrth ymyl Mam a rhoi cusan iddi. "Wyt ti'n iawn?" gofynnodd. "Mi adawodd Cathryn nodyn ar y bwrdd, yn dweud mai cael a chael oedd hi."

"Dw i'n iawn," meddai Mam. "Ac edrycha ar dy fab newydd, yn dydy o'n hardd!"

Anwesodd Steff ei ben yn dyner. Yna edrychodd ar Mam a gwenu o glust i glust.

"Daeth o â lwc i fi beth bynnag," meddai. "Do wir." Tynnodd rolyn tew o arian papur o'i boced a'i roi yn siôl y babi. "Dyna ti, fy mab. Anrheg pen-blwydd."

Chwarddodd Mam ac ysgwyd ei phen. "Rwyt ti'n wallgo," meddai hi, a rhoddodd Steff gusan arall iddi.

Estynnais i am Zac a chyffwrdd ei law am y tro cyntaf, a chaeodd ei fysedd bychain am fy rhai i, yn dynn a chryf.

****

Wnes i ddim gweld yr ysbryd byth wedyn.